BARRIE PUBLIC LIBRARY
31862800016632

D1535978

DISCARDED

Léo
le fantôme

Mac
Barnett

Christian
Robinson

hélium

Voici Léo.

La plupart des gens ne peuvent pas le voir.

Mais toi, tu peux.

Léo est un fantôme.

Pendant de nombreuses années, Léo a vécu tout seul dans une maison aux abords de la ville. Il passait son temps à lire des livres et à dessiner dans la poussière.

Un jour de printemps, une famille a emménagé dans la maison.

Léo était très heureux d'être enfin entouré. Le soir où la famille s'est installée, il leur a préparé du thé à la menthe et des toasts au miel. Il pensait être un bon hôte.

Mais la famille voyait les choses différemment.

Ils se sont réfugiés dans la salle de bains
et ont fermé la porte à clef.

« Cette maison est hantée ! » a dit l'homme.

« Geoffroy, j'ai peur ! » a dit la femme.

« Je déteste le thé ! a dit le petit garçon.
Et je hais les fantômes ! »

Ils ne savaient pas que Léo flottait au-dessus de la baignoire.
Il avait entendu toute leur conversation.

La famille a fait appel à un exorciste, à un scientifique
et à une médium pour se débarrasser du fantôme.

Mais ils auraient mieux fait de garder leur argent :

Léo a compris que sa présence n'était pas souhaitée.

Il a dit au revoir à sa maison et s'est éclipsé.

J'ai été un fantôme de maison tout ma vie, se disait-il. Peut-être que j'aimerai bien être un fantôme errant quelque temps.

Alors Léo s'est mis à errer.

Le petit fantôme est allé voir la ville et tous ses habitants.

Personne ne voyait Léo.

La ville ne ressemblait pas à celle que Léo avait connue.

Certains endroits étaient merveilleux.

D'autres, très effrayants.

Partout, c'était extrêmement bruyant.

Léo s'est rendu à un coin de rue où se trouvait sa confiserie préférée, autrefois. Il n'y avait plus rien.

« Excusez-moi…, a-t-il demandé à une policière. Savez-vous où se trouve…»

Mais la policière est passée à travers Léo sans le voir.

Un après-midi, Léo vagabondait le long d'un trottoir recouvert de dessins à la craie.

Il est arrivé devant une petite fille qui tenait une craie à la main.

La petite fille a levé les yeux, et son regard s'est posé directement sur Léo.

«Je m'appelle Jeanne, a-t-elle dit. Et toi?»

C'était tellement étrange d'être regardé ainsi que Léo, tout d'abord, n'a rien trouvé à répondre.

Enfin, il a dit: «Je suis Léo.»

Jeanne a acquiescé. «Léo, est-ce que tu veux jouer aux Chevaliers de la Table ronde?»

«Oui», a dit Léo, parce qu'il en avait envie.

«Très bien, a répondu Jeanne. D'abord, tu dois être fait chevalier par le roi.»

«Qui c'est, le roi?» a demandé Léo.

«C'est moi! s'est exclamée Jeanne. C'est pour ça que je porte une couronne.»

Léo a regardé la tête de Jeanne, mais n'y a pas vu de couronne.

Malgré cela, il s'est agenouillé et a été adoubé aussitôt.

Léo et Jeanne se sont assis à table.

«Sire Léo, a dit Jeanne, veuillez faire la connaissance
de Sire Grouf, un chien fidèle. Vous ne trouvez pas qu'il
est très beau, dans son armure?»

«Si», a répondu Léo. Et il s'est incliné devant
la chaise vide.

« Et puis, Sire Léo, voici Sire Miu, un chat loyal. Vous ne trouvez pas que ses moustaches semblent empreintes de sagesse ? »

« Si, je trouve ». Et il s'est incliné encore une fois.

« Et pour finir, voici Sire Croa… »

Léo l'a interrompue : « … un oiseau loyal. »

Jeanne a froncé les sourcils. « Pas du tout, a-t-elle répondu. Sire Croa est un hamster géant. »

« Oh, s'est excusé Léo. Je, euh, j'ai oublié mes lunettes. »

Jeanne a louché en direction de la chaise.
« Je *suppose* », a-t-elle répondu.

«Jeanne!» Une voix de femme a retenti d'une
autre pièce. «Dis au revoir à tes amis imaginaires
et viens te mettre à table.»
«D'accord!» a crié Jeanne. Elle s'est tournée vers Léo.
«Ma maman pense que les amis imaginaires sont
inutiles. Mais moi, je te trouve fantastique.»
Sur ces mots, elle est partie en direction de la cuisine.

Léo s'est senti terriblement mal. « Elle pense que je suis imaginaire.
Si je lui dis que je suis un fantôme, je vais la faire fuir. »

Après le dîner, Jeanne est revenue dans sa chambre et a donné une épée à Léo. Ils se sont réfugiés dans une cave, ont massacré un dragon et volé tout son butin. Quand le petit fantôme fermait les yeux, il pouvait presque voir les pièces d'or et les écailles du dragon.

Après le festin de la victoire, est venue l'heure d'aller se coucher.

Jeanne a prêté un oreiller et un drap à Léo.

«Ne le répète pas à Sire Grouf, lui a-t-elle confié, mais tu es mon meilleur ami imaginaire.»

«Oui», a juste dit Léo.

Il était tellement heureux qu'il n'arrivait pas à dormir.

Léo s'est rendu dans le salon, de manière à ne pas réveiller Jeanne avec tous ses froissements de papier.

Toute la nuit, étendu par terre, il s'est appliqué à créer son blason de chevalier.

Ce qui fait que Léo était parfaitement réveillé quand un voleur s'est furtivement introduit par la fenêtre.

«Halte là!» a crié Léo.

Mais le voleur n'a fait que le traverser, à la recherche de l'argenterie.

Le petit fantôme aurait été bien incapable de dire comment
il avait eu l'idée qui lui est alors venue à l'esprit.

Il s'est réfugié sous son drap et s'est envolé vers le voleur, qui
a eu si peur qu'il a fait tomber toutes les fourchettes en argent.
Léo a pourchassé l'homme jusqu'à un placard, et refermé
la porte à clef sur lui.

Tout ceci a été parfaitement exécuté.

Le bruit de la porte a réveillé Jeanne, qui a téléphoné à la police et a couru avertir sa mère.

Une voiture de patrouille est bientôt arrivée et a embarqué le voleur.

Voilà ce qui s'est passé.

«Merci, Léo», a dit Jeanne.

«Je t'en prie, a répondu Léo. Je suis content d'avoir pu t'aider.»

«Mais, Léo… si tu es mon ami imaginaire, comment as-tu pu effrayer le voleur?»

Léo a baissé les yeux.

« Je t'ai menti, Jeanne. Je suis un fantôme. J'ai dit que j'étais ton ami imaginaire, mais en fait, je suis ton ami pour de vrai. »

« Oh ! s'est exclamée la petite fille. Mais alors, c'est encore mieux ! »

Alors Jeanne et Léo sont allés dans la cuisine, pour déguster un thé à la menthe et des toasts au miel de minuit.

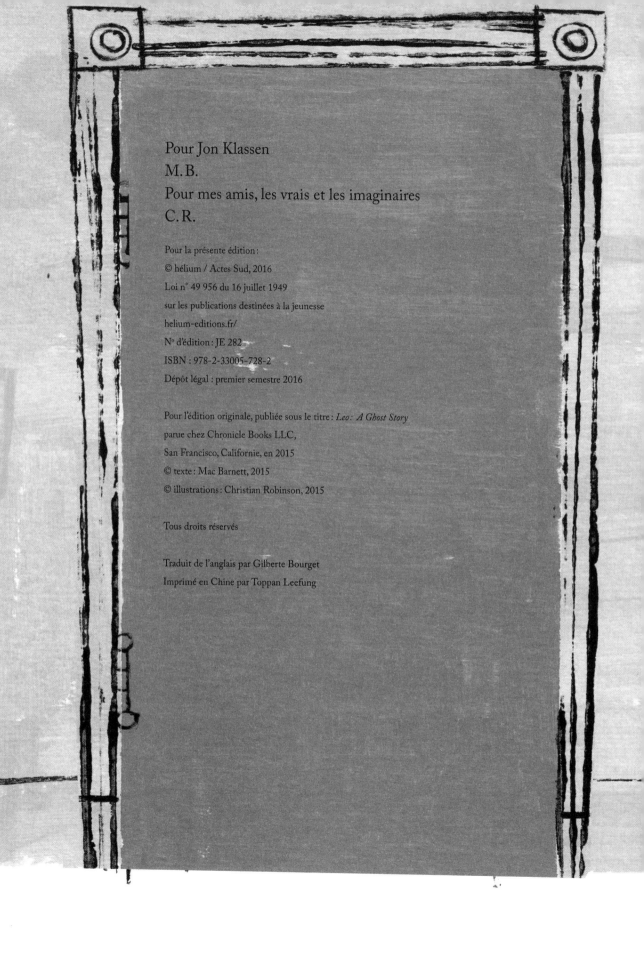

Pour Jon Klassen
M.B.
Pour mes amis, les vrais et les imaginaires
C.R.

Pour la présente édition :
© hélium / Actes Sud, 2016
Loi n° 49 956 du 16 juillet 1949
sur les publications destinées à la jeunesse
helium-editions.fr/
N° d'édition : JE 282
ISBN : 978-2-33005-728-2
Dépôt légal : premier semestre 2016

Pour l'édition originale, publiée sous le titre : *Leo : A Ghost Story*
parue chez Chronicle Books LLC,
San Francisco, Californie, en 2015
© texte : Mac Barnett, 2015
© illustrations : Christian Robinson, 2015

Tous droits réservés

Traduit de l'anglais par Gilberte Bourget
Imprimé en Chine par Toppan Leefung